Michael Wölfel

Bunte Kindermöbel
schnell gebaut

Michael Wölfel

Bunte Kindermöbel schnell gebaut

Ideen · Pläne
Schritt-für-Schritt-Anleitungen

Design:
Friedrich Reckter

Augustus Verlag

Inhalt

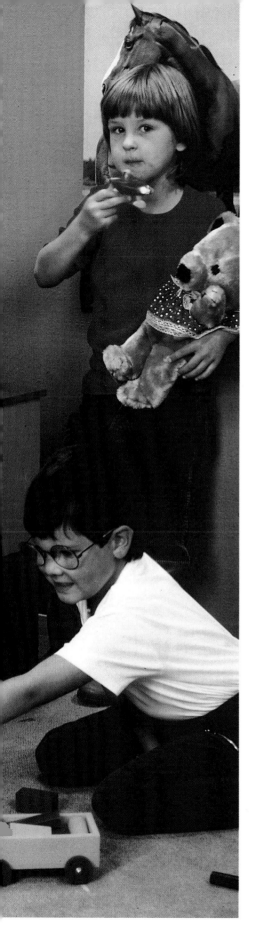

Vorwort

Möbel mit einfachen, funktionalen Formen in leuchtenden Farben sind ideal für die Einrichtung des Kinderzimmers. Nicht immer lassen sich jedoch die eigenen Einrichtungsideen mit den im Handel angebotenen Möbelprogrammen verwirklichen. So bleibt als Ausweg, die gewünschte Einrichtung beim Schreiner in Auftrag zu geben oder selbst herzustellen.

Die in diesem Buch vorgestellten Kindermöbel sind leicht nachzubauen. Die Konstruktionen sind bewußt einfach gewählt und erfordern keinen großen handwerklichen Aufwand. Dennoch sind sie funktionell und bieten viel Platz für Spielzeug, Bücher, Mal- und Bastelsachen und für alles, was sich sonst im Kinderzimmer ansammelt. Durch Form und Farbe werden die Möbel zum attraktiven Blickfang.

Gebaut sind die Kindermöbel aus Holzwerkstoffplatten, die sich teilweise wie Massivholz bearbeiten lassen.

An Werkzeug benötigen Sie die übliche Heimwerker-Ausstattung. Empfehlenswert sind eine Bohrmaschine (oder Akku-Bohrschrauber), eine Stichsäge (elektronisch regelbar, mit Pendelhub), eine Oberfräse, ein Schwingschleifer (oder Bandschleifmaschine).

Weitere nützliche Werkzeuge: Anschlagwinkel, Feile, ein bis zwei scharfe Beitel, Klemm- oder Schraubzwingen unterschiedlicher Größe, Dübelhilfe zum Bohren der Dübellöcher. Zum Kleben benötigen Sie Holzleim (z. B. UHU coll) und Kraftkleber (z. B. UHU Alleskleber Kraft).

Für den Anstrich der Möbel wurden umweltschonende, kräftig deckende Acryl-Lacke von Caparol verwendet. Sie sind wasserlöslich und in vielen Farbtönen im Handel. Aufgetragen werden sie mit Pinsel oder Rolle. Da die Farben untereinander gemischt werden können, läßt sich für jeden Geschmack die passende Farbkombination finden.

Beim Nachbau dieser bunten Kindermöbel wünschen Autor und Verlag Ihnen viel Freude und gutes Gelingen.

Spielzeugwürfel

Dieser bunte Würfel auf Rollen ist vielseitig verwendbar. Spielzeug, Malsachen, Bücher, aber auch andere Dinge wie Zeitschriften oder Strickzeug lassen sich darin verstauen. Bei der Montage beginnen Sie mit der hohen Rückwand (52,4 x 52 cm), die im rechten Winkel auf den Boden (55 x 55 cm) gesetzt wird. Um stabile Verbindungen zu erhalten, werden die Teile mit Schrauben unter Zugabe von Holzleim miteinander verbunden. Die Schraubenköpfe werden versenkt. Zur Stabilisierung der Rückwand leimen Sie die kleinen unteren Seitenteile (30 x 26 cm) an und anschließend die untere Zwischenwand (52,4 x 26 cm), die mit dem Boden und den

Seitenteilen verschraubt wird. Im nächsten Schritt bringen Sie die oberen Seitenteile (55 x 26 cm) an. Sie werden auf die unteren Seitenteile geleimt und mit der Rückwand verschraubt. Zwischen den oberen Seitenteilen befestigen Sie den mittleren Boden (52,4 x 25 cm) sowie die obere Frontplatte (52,4 x 26 cm). Auch die obere Mittelwand (52,4 x 24,7 cm) wird eingeleimt und verschraubt. Damit ist der Rohbau fertiggestellt.

In die Mitte der vier Außenseiten des Würfels wird jeweils eine 54,8 cm lange Fichtenholzleiste (50 x 20 mm) aufgeleimt und verschraubt. Zum Anbringen der Klavierbänder, mit denen die unteren Kästen schwenkbar befestigt werden, erhält die vordere Mittelleiste auf der Innenseite zur Verstärkung einen 26 cm langen Aufleimer. Diese aufgeleimte Leiste ist 6 mm schmaler als die Mittelleiste, so daß rechts und links ein Falz entsteht, in dem das Klavierband montiert wird. In die Mitte der unteren Mittelwand wird ebenfalls eine

26 cm lange Fichtenholzleiste (50 x 20 mm) aufgeleimt. Hier werden später die Magnetschnäpper angebracht, die die Kästen arretieren, wenn sie eingeschwenkt sind. Eine weitere Leiste (55 cm lang) wird über die obere Mittelwand geleimt. An diese Querleiste werden die 58 cm langen Klavierbänder für die beiden oberen Klappen geschraubt. Damit die Klappen, wenn sie geöffnet werden, nicht nach hinten umschlagen, sichern Sie sie mit etwa 30 cm langen Ketten oder Stoffbändern, die mit dem Würfel verbunden werden.

Die einzelnen Bauteile des Spielzeugwürfels werden mit Holzleim miteinander verbunden. Zusätzlich sollten an den Verbindungsstellen Holzschrauben eingedreht werden. Bohren Sie die Schraubenlöcher vor. Mit einem Akku-Bohrschrauber erleichtern Sie sich das Eindrehen der Kreuzschlitz-Schrauben.

Zum Glätten überstehender Platten und Kanten verwenden Sie einen Schwingschleifer. Auch die versenkten und verspachtelten Schraubenköpfe werden auf diese Weise glattgeschliffen.

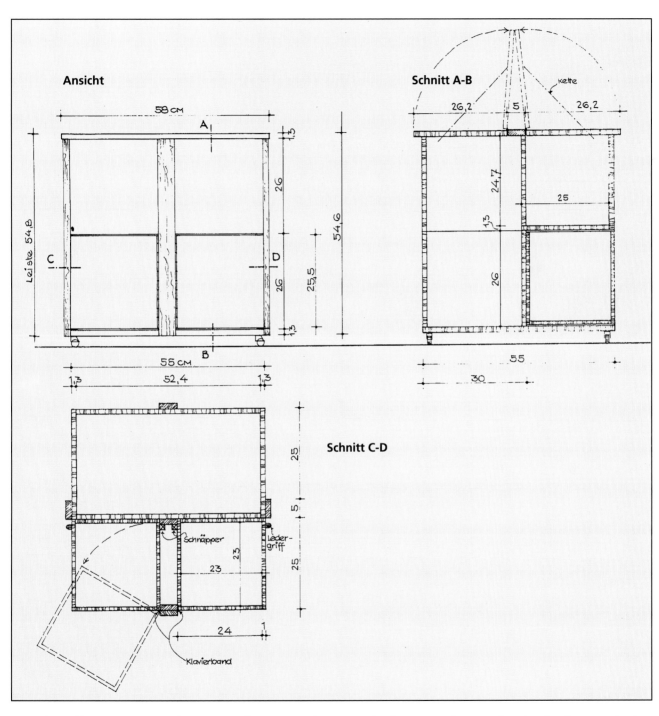

Ansicht

58 cm

A

1,3

26

54,6

26

25,5

1,3

Leiste 54,8

C

D

55 cm

B

1,3   52,4   1,3

Schnitt A-B

Kette

26,2   5   26,2

24,7

25

1,3

26

55

30

Schnitt C-D

25

5

Schnäpper

Leder-griff

23

25

23

24   1

Klavierband

Die schwenkbaren Kästen sind schnell zusammengebaut. Das 10 mm dicke Sperrholz wird nicht verschraubt, sondern verleimt. Die Verbindungen werden mit Nägeln mit Stauchkopf zusätzlich gesichert, bevor Sie die Kästen an den Würfel anbauen. Um die Kästen leichter ausschwenken zu können, schrauben Sie als Griffe zwei kleine Lederstreifen an.

Alle Ecken und Kanten des Würfels und der Kästen werden abgerundet. Vor dem Lackieren werden alle sichtbaren Schraubenköpfe gespachtelt und geschliffen. Für die farbliche Gestaltung bieten sich viele Farbkombinationen an, die Sie je nach Geschmack auswählen. Um zu verhindern, daß braun färbende Inhaltsstoffe aus den Spanplatten

austreten, streichen Sie mit wasser-haltigem Capacryl-Holzgrund vor. Zum Lackieren verwenden Sie schnelltrocknenden Capacryl-Lack. Damit sich der Würfel leicht be-wegen läßt, montieren Sie unter den Boden vier schwenkbare Möbel-rollen.

Die ausschwenkbaren Kästen sind sehr geräu-mig.

Der fertige Würfel bietet nicht nur viel Platz für Spielsachen und allerlei andere Dinge, sondern kann zusätzlich als Spiel- und Ablagefläche im Kinderzimmer dienen.

Materialliste

	Anzahl	Bezeichnung	Formate	Materialdicke
Span- oder Tischlerplatten	1	Boden	55 x 55 cm	13 mm
	1	Rückwand	52,4 x 52 cm	13 mm
	2	Seitenteile, unten	30 x 26 cm	13 mm
	2	Seitenteile, oben	55 x 26 cm	13 mm
	1	Front, oben	52,4 x 26 cm	13 mm
	1	Mittelwand, unten	52,4 x 26 cm	13 mm
	1	Mittelwand, oben	52,4 x 24,7 cm	13 mm
	1	Mittelboden	52,4 x 25 cm	13 mm
	2	Klappen	58 x 26,2 cm	13 mm
Sperrholz	8	Kastenseiten	24 x 25,5 cm	10 mm
	2	Kastenböden	23 x 23 cm	10 mm
Fichtenholzleisten	4	Leisten, senkrecht	54,8 cm lang	50 x 20 mm
	1	Leiste, quer	55 cm lang	50 x 20 mm
	1	Aufleimer vorn	26 cm lang	44 x 20 mm
	1	Aufleimer untere Mittelwand	26 cm lang	50 x 20 mm
weiteres Material	2	Klavierbänder	58 cm lang	
	2	Klavierbänder	25,5 cm lang	
	2	Magnetschnäpper		
	4	bewegliche Möbelrollen		
	2	Ketten oder Stoffbänder, 30 cm lang		
	2	Lederstreifen als Kastengriff		
		Holzleim UHU coll		
		Holzschrauben, Nägel mit Stauchkopf		
		Akku-Bohrschrauber, Oberfräse, Schwingschleifer		
		Capacryl-Lack		

Giraffenregal

Regale im Kinderzimmer bieten viel
Platz für Spielsachen, Bücher, Stofftiere und anderes. In der Kombi-
nation mit Rollkisten können auch
Bausteine und eine ganze Menge
weiterer Dinge untergebracht werden. Die in Giraffenform gestalteten
Seitenteile dieses Regals stellen
einen besonderen Blickfang im Kinderzimmer dar. Da solche Regale
im Handel nicht angeboten werden,
muß man sie selbst bauen.

Regalböden

Verleimen Sie zunächst die drei
oberen Regalböden (120 x 20 cm)
mit den Bodenverstärkungen (120 x
8 cm). Diese Leisten werden an den
hinteren Kanten so angeleimt, daß
sie nach unten etwa 2 cm überste-
hen. Regalboden und Verstärkungsleiste werden jeweils mit Schraubzwingen zusammengepreßt, bis der
Leim getrocknet ist. Die oberen
Kanten runden Sie mit einer Oberfräse ab.

Giraffen

Um die Seitenteile aus den 42 cm
breiten Platten herzustellen, müs-
sen Sie für den vorspringenden
Giraffenkopf jeweils oben links mit
Holzleim ein etwa 32 x 12 cm großes
Stück ansetzen, das Sie oben rechts
aus der Platte herausschneiden.
Die Körperformen der Giraffe über-
tragen Sie mit Hilfe eines 10 x 10-cm-
Rasters (siehe Konstruktionszeich-

nung) auf die beiden vorbereiteten Platten. Mit einer Stichsäge sägen Sie die Giraffenteile aus. Die Schnittkanten runden Sie mit einer Oberfräse ab (Viertelstabfräser mit Anlaufring).

Unterbau

Der untere Teil des Giraffenregals ist so konstruiert, daß er lediglich verleimt werden muß. Wer dennoch mit verdeckten Holzdübeln arbeiten möchte, kann sich dies mit einer Dübelschablone erleichtern (z. B. Lux-Dübelhilfe). Beim Zusammenbau verleimen Sie jeweils eine Außenwand mit der entsprechenden Rückwand. Dann setzen Sie diese Winkel unter die obere Platte des Unterteils. Das breitere dritte Element leimen Sie zunächst U-förmig zusammen (Seitenteile plus Rückwand) und setzen es in die Lücke zwischen den Seitenelementen. Alle drei Fächer sind nach vorne offen, da sie später die Rollkisten aufnehmen sollen.

Die oberen Kanten der Deckplatte und die Außenkanten der Seitenteile werden ebenfalls mit der Oberfräse abgerundet. Da die Rollkisten in den äußeren Fächern des Unterteils niedriger sind, werden hier noch zwei Regalböden (43,4 x 31,8 cm) eingeleimt. Sie werden zusätzlich

Dieses originelle Regal für das Kinderzimmer ist ein attraktiver Blickfang. Es bietet viel Stellfläche und Stauraum für Bücher, Malsachen, Stofftiere und vieles andere. Die drei Rollkisten eignen sich besonders gut für den Kleinkram, der sich im Kinderzimmer üblicherweise ansammelt.

Das Unterteil besteht aus 16 mm dicken MDF-Platten, die mit Holzleim rechtwinklig zusammengeleimt werden.

Die Konturen der Seitenteile werden mit einer Stichsäge ausgeschnitten.

Wenn alle Teile zugeschnitten oder vormontiert sind, wird das Giraffenregal probeweise aufgebaut. Das ganze Möbel wird durch Holzschrauben zusammengehalten und vor dem Lackieren wieder auseinandergenommen.

Mit Zweikomponentenkleber und Holzschrauben werden die Möbelrollen unter den Rollkisten befestigt.

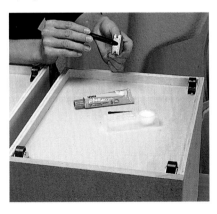

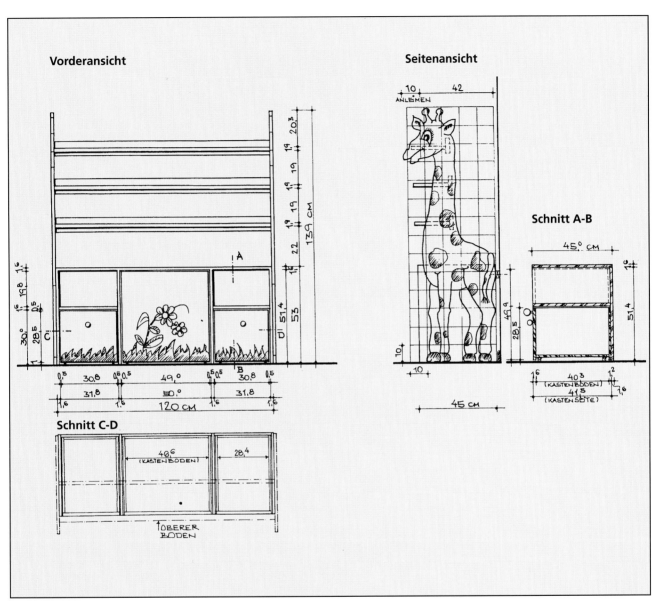

Vorderansicht

Seitenansicht

Schnitt A-B

Schnitt C-D

mit Holzschrauben durch die Seiten und die Rückwände gesichert. Die von außen aufgesetzten Giraffenformen decken später die Schraubenköpfe ab.

Rollkisten

Um die Rollkisten herzustellen, leimen Sie jeweils an die Frontplatte eine Seite und den Boden an. Der Boden ist um etwa 2 cm nach oben verschoben, damit die später anzubringenden Möbelrollen weitgehend verdeckt sind. Die Kisten werden durch das Anleimen der zweiten Seite und der Rückwand fertiggestellt. Viertelstäbe oder Dreieckleisten verstärken die geleimten Verbindungen. Die Böden der Kisten können zusätzlich durch untergeleimte Massivholzleisten fixiert werden. Diese Leisten werden so angebracht, daß die Ecken frei bleiben für die Aufnahme der Möbelrollen.

Diese werden mit Zweikomponentenkleber (UHU plus acrylit) aufgeklebt und zusätzlich mit 4 x 12-mm-Holzschrauben gesichert.

Lackieren

Vor dem Lackieren sollten Sie das Giraffenregal probeweise zusammensetzen. Die Löcher für die Schrauben müssen vorgebohrt werden, damit die Platten beim Eindrehen der Schrauben nicht reißen. Die drei oberen Regalböden werden mit Holzschrauben (5 x 50 mm) durch die Seitenteile hindurch befestigt. Diese Schrauben werden nicht verspachtelt. So läßt sich das Regal bei Bedarf auch wieder demontieren. Durch die farbliche Gestaltung können die Schraubenköpfe später fast unsichtbar werden. Unten werden die Seitenteile durch die Innenseiten des Unterteils verschraubt. Zum Lackieren verwenden Sie Capacryl-Seidenglanzlack, den es in sehr vielen Farbtönen gibt. Wenn

die Farbe getrocknet ist, setzen Sie die Einzelteile wieder zusammen und verschrauben das Regal kipp sicher mit der Zimmerwand. Dazu bohren Sie Schraubenlöcher links und rechts oben durch die Rückwand des Unterteils.

Damit sich die Rollkisten bequem herausziehen lassen, erhalten sie Griffe in Form von Holzkugeln mit einem Durchmesser von 25 mm. Sie werden mit Holzdübeln in entsprechende Bohrungen der Kisten eingeleimt. An der großen Kiste können zwei Kugeln angebracht werden.

Bei dem Regal auf dem Foto sind eine große und eine kleine Kugel in den Blumen versteckt.

Materialliste

	Anzahl	Bezeichnung	Formate	Materialdicke
MDF-Platten	2	Regalseiten für die Giraffe	140 x 42 cm	19 mm
	3	Regalböden	120 x 20 cm	19 mm
	3	Verstärkungsleisten	120 x 8 cm	19 mm
	1	Abdeckplatte für das Unterteil	120 x 45 cm	16 mm
	4	Seiten- und Zwischenwände	51,4 x 45 cm	16 mm
	2	Rückwände seitlich	51,4 x 31,8 cm	16 mm
	1	Rückwand Mitte	51,4 x 50 cm	16 mm
	2	Regalböden für die Seitenteile	43,4 x 31,8 cm	16 mm
	2	Vorderseiten, kleine Rollkisten	30,8 x 28,5 cm	16 mm
	1	Vorderseite, mittlere Rollkiste	49 x 49,9 cm	16 mm
Sperrholz	4	Seitenteile, kleine Rollkisten	41,5 x 28,5 cm	12 mm
	2	Rückseiten, kleine Rollkisten	28,4 x 28,5 cm	12 mm
	2	Bodenplatten, kleine Rollkisten	28,4 x 40,3 cm	12 mm
	2	Seitenteile, große Rollkiste	41,5 x 49,9 cm	12 mm
	1	Rückseite, große Rollkiste	46,6 x 49,9 cm	12 mm
	1	Bodenplatte, große Rollkiste	46,6 x 40,3 cm	12 mm
weiteres Material		Viertelstäbe oder Dreiecksleisten:		
	8	25 cm lang		
	4	Leisten, 45 cm lang		
	6	Leisten, 33 cm lang		
	4	Leisten, 24 cm lang		
	2	Leisten, 42 cm lang		
	12	Möbelrollen, etwa 30 mm hoch		
	1	Holzkugel, 30 mm Durchmesser		
	2–3	Holzkugeln, 25 mm Durchmesser		
		Holzschrauben, Holzdübel		
		Holzleim UHU coll		
		Zweikomponentenkleber UHU plus acrylit		
		umweltschonender Capacryl-Seidenglanzlack		
		Stichsäge, Oberfräse, Bohrmaschine, Schraubzwingen		

Kinderbett-Lkw

Phantasievoll und farbenfroh ist dieses Kinderbett in Form eines Lkws mit Ladepritsche. Die Ladefläche ist groß genug, um eine Matratze auflegen zu können. Das Führerhaus wird zum Schreibplatz, bei dem unter der Schreibplatte viel Platz für Stifte, Papier und ähnliches eingeplant ist. Zwei Regalböden bieten zusätzlich Platz für Schulbücher, Mal- oder Spielsachen. Die Breite der Ladefläche für das Bett beträgt im gezeigten Beispiel 80 cm. Der Lattenrost wurde aus gehobelten Dachlatten selbst hergestellt. Für die Matratze wurde Schaumstoff in der für Betten richtigen Härte verwendet (im Fachgeschäft beraten lassen). Das Bett kann aber auch mit einer Liegefläche für handelsübliche Lattenroste von 90 cm Breite gebaut werden. Die entsprechenden Maße sind in der Zeichnung in Klammern angegeben.

Das ganze Möbel ist so konzipiert, daß es ohne Schwierigkeiten in zwei Teile zerlegt werden kann. Die beiden Seitenwände der Ladefläche werden in das Führerhaus eingesteckt. Das Bett erhält dadurch eine hohe Stabilität. Alle scharfen Kanten und Ecken, an denen sich die Kinder verletzen könnten, werden mit der Oberfräse und einem Viertelstabfräser abgerundet.

Das fertige Möbel bietet vielfältige Spielmöglichkeiten. Farben und Dekoration können Sie nach eigenem Geschmack wählen — Ihrer Phantasie sind dabei keine Grenzen gesetzt.

Ladefläche

Das Bett entsteht aus zwei Seitenwänden (je 229 x 22 cm), zwischen die als Rückwand (hintere Bordwand) ein 80 x 22 cm großes Brett stumpf eingeleimt wird. Zum Aussteifen der so entstandenen U-Form leimen Sie zwischen die beiden Seitenwände einen Spanplattenboden (115 x 80 cm), und zwar so, daß er sich in der Mitte unter der eigentlichen Liegefläche befindet. Wie alle Verbindungsstellen des Kinderbettes wird auch dieser Boden zusätzlich mit Holzschrauben fixiert. Die sichtbaren Schraubenköpfe werden versenkt, mit Spachtelmasse abgedeckt und glattgeschliffen. Das ist vor allem dort wichtig, wo später lackiert wird.

An der hinteren Kante des Aussteifungsbodens wird eine senkrechte Bodenstütze (83,8 x 18 cm) angesetzt. Sie wird verleimt und von oben verschraubt. An dieser Bodenstütze befindet sich später die Nabe des Hinterrades. Als Verstrebung schneiden Sie aus Holzresten zwei rechtwinklige Dreiecke, die in den Winkel zwischen Aussteifungsboden und Bodenstütze eingeleimt werden. Verwenden Sie einen Leim, der dauerhafte Verbindungen zwischen kunststoffbeschichteten oder lackierten Oberflächen und Holz herstellt (z. B. UHU coll spezial).

Führerhaus

In die Rückwand des Führerhauses (126,4 x 83,8 cm) werden Aussparungen gesägt, in die später die Seitenteile des Bettes eingeschoben werden. Die Aussparungen, die mindestens 22 cm lang und 19 mm tief sein müssen (entsprechend dem

Zusammenbau der Ladefläche. Eine Seitenwand, die Rückwand, die Bodenaussteifung mit der senkrechten Bodenstütze sind bereits montiert. Die zweite Seitenwand wird aufgeleimt und verschraubt (Schraubenlöcher werden vorgebohrt).

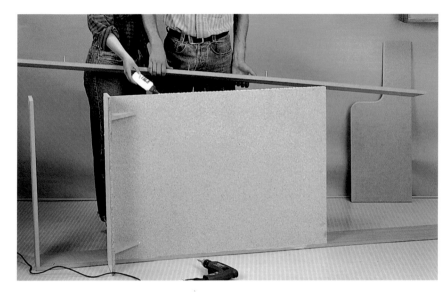

Querschnitt der Seitenteile), werden mit der Stichsäge ausgeschnitten. Wenn Sie den Ausschnitt 2–3 mm größer herstellen, lassen sich die Bauteile leichter ineinander schieben. Die Seitenwände des Führerhauses (96 x 37 cm) werden entsprechend der Konstruktionszeichnung zugeschnitten. Um dem Dach die richtige Neigung zu geben, schrägen Sie die Seitenteile von 14 cm hinten auf 9 cm vorne ab. Damit die Dachfläche (83,8 x 37 cm) plan aufliegt, müssen auch die Oberkanten der Frontplatte (83,8 x 9 cm) und der Rückwand abgeschrägt werden. Das Dach wird aufgeleimt und mit der Rückwand verschraubt.

In das Führerhaus ist ein Schreibfach eingebaut, dessen Schreibplatte hochgeklappt werden kann. Unter der Schreibplatte befindet sich ein großes Staufach. Der Kasten des Schreibfachs besteht aus einem 51 x 77 cm großen Boden, zwei 51 x 12 cm großen Seitenwänden und einer Stirnwand (80,6 x 12 cm). Diese Teile werden zusammengeleimt und verschraubt. Der hintere Teil der Schreibfläche (83,8 x 15 cm) wird fest aufgeleimt. An dieser Leiste wird der vordere Teil (83,5 x 40 cm) mit einem Klavierband angeschlagen. Um die Schnittkanten der Schreibplatte abzudecken, bügeln Sie einen passenden Umleimer auf. Beim Zusammenbau des Führerhauses wird zuerst die Rückwand mit

Mit der Oberfräse lassen sich Ecken und Kanten des Masterwood-Holzes wie Massivholz bearbeiten.

Der Unterbau des Schreibfachs ist mit der Rückwand des Führerhauses fest verbunden. Die seitliche Verstärkungsleiste wird so mit Leim eingestrichen, daß sich der Leim gleichmäßig verteilt.

einer Seitenwand verleimt und verschraubt. Die Aussparung für die Seitenteile der Ladefläche wird von der Seitenwand abgedeckt. Auf die Seitenwand wird innen an der Stelle, wo der Kasten des Schreibfachs angebracht werden soll, eine Verstärkungsleiste (35 x 12 cm) aufgeleimt. Auch die gegenüberliegende Seitenwand wird von außen auf die Rückwand geleimt und geschraubt. Dann setzen Sie den Kasten des

Schreibfachs ein, der von innen gegen diese Verstärkungsleisten geschraubt wird. Verbinden Sie nun die beiden Teile Ihres Lastwagens, indem Sie die Seitenteile des Bettes durch die Aussparungen in der Rückwand des Führerhauses schieben, und zwar bis an die Vorderkante der Seitenteile des Führerhauses. Die Bettseiten werden von innen mit jeweils sechs Holzschrauben fixiert.

Räder

Die Räder sägen Sie mit einer Stichsäge aus zwei quadratischen Platten (33 x 33 cm) aus. Noch besser wird das Ergebnis, wenn Sie einen Kreisschneider verwenden, den es als Zubehör z. B. zu Bosch-Stichsägen gibt. Wenn das Bett an der Zimmerwand steht und deshalb nur eine Lastwagenseite sichtbar ist, reichen zwei Räder aus. Steht das Bett frei im Zimmer, müssen Sie auch auf der anderen Seite zwei Räder anbringen.

Rollkasten

Zusätzlichen Stauraum für Bettzeug und Spielsachen erhalten Sie mit einem Rollkasten unter dem Bett. Er besteht aus einem Boden (66,8 x 76,8 cm), der Rückwand (66,8 x 12 cm) und zwei Seitenwänden (78,4 x 12 cm). Die Seitenwände schließen bündig mit der Vorderkante des Bodens ab. Die 70 x 12 cm große Frontplatte wird vor den Kasten gesetzt und steht an den Seiten etwas über. Nach dem Lackieren der

Frontplatte schrauben Sie unter den Kasten vier Rollen. Damit der Kasten frei unter die Liegefläche geschoben werden kann, dürfen diese Rollen höchstens 50 mm hoch sein.

Kotflügel

Die Kotflügel bestehen aus drei miteinander verleimten und gebogenen Sperrholzbrettchen (jeweils 4 mm dick). Zum Biegen stellen Sie aus

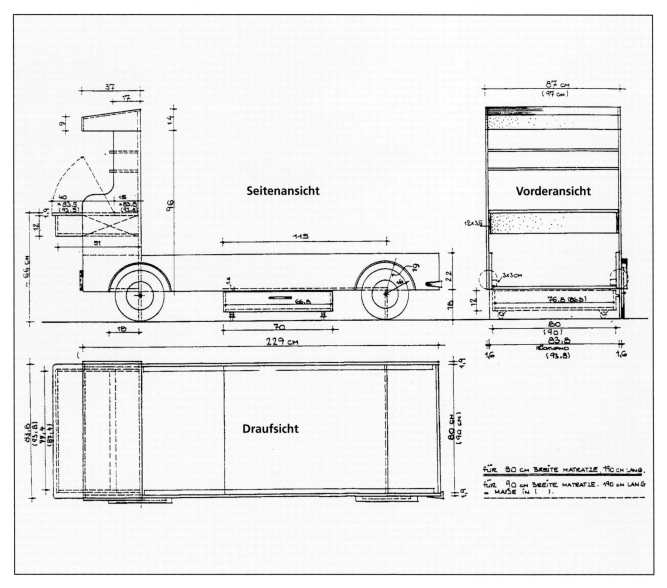

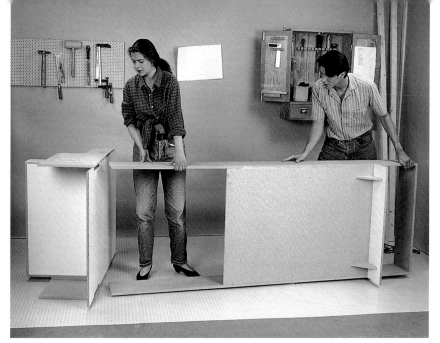

Der Lkw besteht aus zwei größeren Teilen, die sich bei Bedarf wieder auseinandernehmen lassen: aus dem Führerhaus und der Liegefläche. Hier beginnt der Zusammenbau, wobei die Seitenwände durch die Aussparungen in der Rückwand in das Führerhaus eingeschoben werden.

Der Lkw ist aufgerichtet, das Dach wird verschraubt. Alle Schnittkanten der Masterwood-Platten werden mit der Oberfräse abgerundet.

Herstellung der Kotflügel aus dreilagigem Sperrholz. Über einer halbrunden Form wird das Sperrholz verleimt und mit Schraubzwingen einen Tag lang gepreßt. Zum Ansetzen der seitlichen Schraubzwingen sind in die Form Aussparungen geschnitten.

einem Holzrest eine halbrund zugeschnittene Form her (Durchmesser etwa 36 cm). Das Sperrholz wird mit Leim gleichmäßig eingestrichen und mit Schraubzwingen einen Tag lang fest auf die halbrunde Form gepreßt. Damit die Schraubzwingen sicher halten, schneiden Sie zwei Einkerbungen in die Form (siehe Foto Mitte). Der Rohling für die Kotflügel wird an den Enden begradigt und längs in zwei 4 cm breite Streifen gesägt. In den vorderen Kotflügel schneiden Sie bis zur Hälfte eine Aussparung ein, die der Dicke der Seitenwand des Führerhauses entspricht (16 mm). Erst nach dem Lackieren der Seitenteile werden die Kotflügel aufgesetzt.

Lackieren

Bei der farblichen Gestaltung des Kinderbett-Lkws streichen Sie nur die Masterwood-Platten. Die beschichteten Platten bleiben weiß. Wenn Sie umweltschonenden, wasserhaltigen Capacryl-Lack verwenden, ist ein Voranstrich nicht nötig, da dieser Lack sicher auf solchen Holzwerkstoffen haftet. Die Lacke lassen sich alle untereinander mischen, so daß harmonische, leuchtende Farbkombinationen erzielt werden können.
Nach dem Trocknen der Farben setzen Sie das Möbel zusammen. Die lackierten Kotflügel werden auf die Bettseiten aufgeleimt (vorderen Kotflügel nicht am Führerhaus fest-

leimen). Das vordere Rad befestigen Sie so, daß es jederzeit wieder abnehmbar ist, weil sich sonst das Bett nicht mehr auseinandernehmen läßt. Bevor das Rad angeschraubt wird, müssen Sie die Dicke der Seitenwand des Führerhauses (16 mm) durch eine entsprechende Holzleiste ausgleichen. Das hintere Rad können Sie wie das Vorderrad anschrauben oder auch festleimen, da es nicht abgenommen werden muß. Am Führerhaus setzen Sie bündig mit den Unterkanten der Seitenteile einen stabilisierenden Boden (80 x 18 cm) ein, der durch die Rückwand hindurch verschraubt wird. Für die beiden oberen Regalböden im Führerhaus (83,8 x 18 cm) schrauben Sie Bodenträger in die Seitenwände.

Lattenrost

Wenn Ihr Kinderbett soweit gediehen ist, fehlen nur noch die beiden Tragleisten für den Lattenrost. Dazu verwenden Sie einen 188 cm langen Quadratstab aus Fichtenholz (30 x 30 mm), den Sie an die Seitenteile anleimen und zusätzlich verschrauben. Wer keinen fertigen Lattenrost in 80 cm Breite hat, kann ihn aus 19 gehobelten Dachlatten (18 x 38 mm) selbst herstellen. Die Leisten werden in gleichmäßigen Abständen auf die Tragleisten geschraubt.

Dekoration

Mit unterschiedlich breiten und verschiedenfarbigen Klebebändern (z. B. von Tesa) können Sie die Seiten von Führerhaus und Ladefläche zusätzlich mit interessanten Mustern verzieren. Die Ausstattung des Lastwagens wird vervollständigt durch Scheinwerfer, die aus zwei 12 x 12 cm großen Platten gesägt und mit Sprühlack in Silber lackiert werden. Die Scheinwerfer werden ebenfalls angeschraubt, damit sie nötigenfalls wieder demontiert werden können. Aus Holzresten fügen Sie weitere Details wie Stoßstangen oder Blinker hinzu, die Sie in entsprechenden Farben lackieren und mit Holzleim befestigen.

Materialliste

	Anzahl	Bezeichnung	Formate	Materialdicke
MDF-Masterwood-Platten	2	Bettseiten	229 x 22 cm	19 mm
von Hornitex	1	Bettrückwand	80 x 22 cm	19 mm
	2	Seitenwände, Führerhaus	96 x 37 cm	16 mm
	1	Dachplatte, Führerhaus	83,8 x 37 cm	16 mm
	1	Frontplatte, Führerhaus	83,8 x 9 cm	16 mm
	2	Dachseiten, Führerhaus	37 x 14 cm	16 mm
	2	Seitenwände, Schreibfach	51 x 12 cm	16 mm
	1	Frontplatte, Schreibfach	80,6 x 12 cm	16 mm
	2	Verstärkungsleisten, Schreibfach	35 x 12 cm	16 mm
	2	Räder	33 x 33 cm	16 mm
	1	Frontplatte, Rollkasten	70 x 12 cm	16 mm
	2	Scheinwerfer	12 x 12 cm	16 mm
MB-Platten, weiß, von Hornitex	1	Bodenstütze, senkrecht	83,3 x 18 cm	16 mm
	1	Rückwand, Führerhaus	126,4 x 83,8 cm	16 mm
	2	Regalböden, oben	83,8 x 18 cm	16 mm
	1	Regalboden unten	80 x 18 cm	16 mm
	1	Bodenplatte, Rollkasten	66,8 x 76,8 cm	16 mm
	2	Seitenwände, Rollkasten	78,4 x 12 cm	16 mm
	1	Rückwand, Rollkasten	66,8 x 12 cm	16 mm
	1	Bodenplatte, Schreibfach	51 x 77,4 cm	16 mm
	1	Klappe, Schreibfach	83,5 x 40 cm	19 mm
	1	hintere Leiste, Schreibfach	83,8 x 15 cm	19 mm
weiteres Material	3	Sperrholzlagen für Kotflügel	10 x 55 cm	4 mm
	2	Tragleisten, Fichtenholz	188 cm lang	30 x 30 mm
	1	Aussteifungsboden, Spanplatte	115 x 80 cm	16 mm
	19	gehobelte Dachlatten	80 cm lang	18 x 38 mm
	4	Möbelrollen	etwa 50 mm hoch	
	1	Klavierband	83,5 cm lang	
	8	Bodenträger		
		Holzschrauben, etwa 4 x 45 mm		
		Holzleim UHU coll express, UHU coll spezial		
		Stichsäge, Oberfräse, Akku-Bohrschrauber		
		Capacryl-Lack		

Panoramawand

Diese dreiteilige Panoramawand läßt sich selbst in kleinen Kinderzimmern vielseitig nutzen. Sie bildet beispielsweise den Hintergrund für die Spielecke, die Kinder können sich dahinter verstecken oder sich eine Höhle bauen.

Der Zusammenbau ist recht einfach. Die Wand besteht aus Hartfaserplatten, die auf Verstärkungsleisten aufgeleimt sind. Die einzelnen Teile werden mit Klappscharnieren miteinander verbunden.

Verstärken Sie zunächst die drei Hartfaserplatten, indem Sie die Fichtenholzleisten auf der Rückseite aufleimen. Die Leisten schließen mit der Unterkante der Platten bündig ab und werden beim Mittelteil auch entlang der Außenkanten bündig angesetzt. Bei den beiden Seitenteilen ist dies nur an der jeweils zum Mittelteil hin liegenden Kante der Fall. Die äußere Leiste wird etwa 5 cm nach innen versetzt aufgeleimt. Auf diese Weise lassen sich außen die Konturen der Bäume und am oberen Rand die Umrisse der Sonne, der Wolken und des Mondes ausformen.

Bevor Sie die Zeichnung der Vorlage auf die Hartfaserplatten übertragen, müssen Sie die Platten mit einem wasserhaltigen Haftprimer vorstreichen, damit eine griffige Oberfläche für den späteren Anstrich vorhanden ist. Als Konstruktionshilfe für die Übertragung der Zeichnung dient ein 10 x 10-cm-Raster. Zum Aufzeichnen verwenden Sie einen weichen Bleistift.

Mit einer Stichsäge werden die Konturen ausgeschnitten. Verwenden Sie ein schmales Sägeblatt, das eine enge Kurvenführung ermöglicht.

Die farbenfrohe Panoramawand stellt einen attraktiven Blickfang im Kinderzimmer dar.

Auf der Rückseite der Hartfaserplatten werden die Fichtenholzleisten zur Verstärkung aufgeleimt.

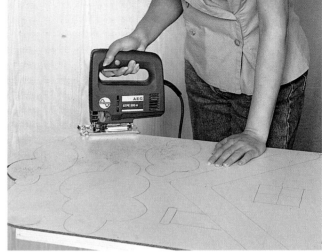

Um einen guten Haftgrund herzustellen, tragen Sie auf die Hartfaserplatten Capacryl-Haftprimer auf. Beim Übertragen der Vorlagenzeichnung hilft ein 10 x 10-cm-Raster.

Bevor Sie die Panoramawand lackieren, sollten Sie die drei Teile probeweise zusammenbauen. Dazu verwenden Sie flache Klappscharniere, die Sie mit Holzschrauben an den

Fichtenholzleisten befestigen. Überprüfen Sie die Konstruktion und gleichen Sie Unregelmäßigkeiten aus. Dann werden die Teile wieder auseinandergebaut. Da die Scharniere keine Farbe erhalten, werden sie vor dem Anstreichen auch demontiert.

Zum Anstreichen verwenden Sie umweltschonende Capacryl-Lacke. Die einzelnen Farbtöne lassen sich

Die Umrisse der einzelnen Teile werden mit einer Stichsäge ausgeschnitten.

beliebig miteinander vermischen, so daß sich unterschiedliche Farbnuancen erzielen lassen. So zeigt die Stellwand drei verschiedene Blautöne, die aus dem Farbton Enzianblau durch Zumischen von Weiß entstan-

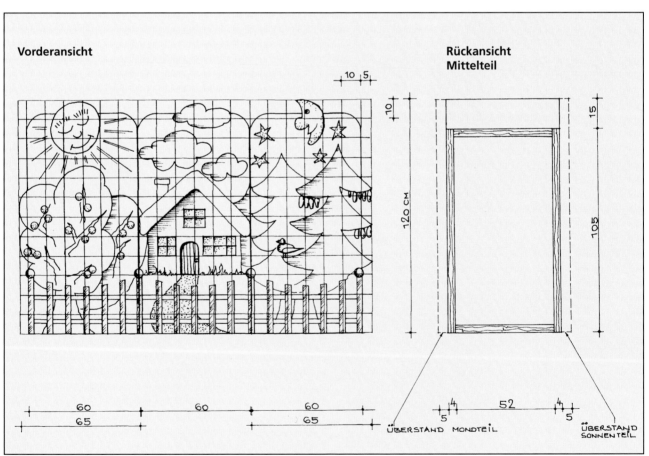

Nachdem die drei Teile der Stellwand zugeschnitten sind, werden sie probeweise schon ein-
mal mit Scharnieren verbunden. Mit einem
Bohrschrauber bereitet das Eindrehen der Holzschrauben keine Mühe.

Zum Erzielen von farblichen Nuancen lassen
sich die Capacryl-Lacke untereinander mischen.
Farbige Flächen der Panoramawand legen Sie
mit dem Pinsel an.

den sind. Haus, Sonne und Wolken
sind mit unvermischten Farben
gestrichen. Die Sterne, der Mond
und die Äpfel wurden zunächst aus
Selbstklebefolie ausgeschnitten und
separat mit Sprühlack gestaltet. Auf
diese Weise wurden die Farbverläufe von Gelb nach Rot bei den Äpfeln
erzielt. Sterne und Mond sind sil-
bern.
Zum Schluß noch ein Tip: Wenn Sie
die Panoramawand frei im Raum
aufstellen wollen, um z. B. die Spielecke vom Schreibtisch abzuteilen,
ist es empfehlenswert, auch die

Die Sterne, der Mond und die Äpfel wurden
separat aus selbstklebender Folie ausgeschnitten
und mit Sprühlack gestaltet. Auf diese Weise
wurden die Farbverläufe von Gelb nach Rot bei
den Äpfeln erzielt.

Rückseite mit Hartfaserplatten zu
versehen. Die Zeichnung der Vorlage wird dann spiegelbildlich übertragen. Statt der einfachen Klappscharniere bringen Sie Paravent-
scharniere an, so daß Sie die Stellwand auch in Zickzackform aufstellen können. Diese Wand läßt sich
platzsparend zusammenklappen,
indem ein Seitenteil nach vorne,
das andere nach hinten auf das Mittelteil geklappt wird. So findet der
Paravent Platz in jeder Nische.

Materialliste

	Anzahl	Bezeichnung	Formate	Materialdicke
Hartfaserplatten	1	Mittelplatte	120 x 60 cm	5 mm
	2	Seitenplatten	120 x 65 cm	5 mm
		Fichtenholzleisten		
	6	Verstärkungsleisten, senkrecht	105 cm lang	20 x 40 mm
	6	Verstärkungsleisten, waagerecht	52 cm lang	20 x 40 mm
weiteres Material	4	Klappscharniere		
		Holzleim UHU coll express		
		Stichsäge, Akku-Bohrschrauber		
		Capacryl-Haftprimer, Capacryl-Lacke		

Sitzgruppe I

Kinder sitzen am liebsten auf Stühlen und an Tischen, die ihrer Körpergröße entsprechen. Eine solche Sitzgruppe läßt sich ohne großen Aufwand selbst herstellen und ganz individuell farblich gestalten. Die hier vorgestellten Kindermöbel bestehen aus einem Grundelement, welches für das Tischgestell und die Stühle jeweils leicht abgewandelt wird.

Stühle

Beginnen Sie mit den Stühlen, indem Sie zunächst auf die Seitenteile Viertelkreise aufzeichnen. Verwenden Sie dazu entweder einen Zirkel oder einen Stift mit entsprechend langer Schnur, die im Kreismittelpunkt an einem dünnen Nagel festgeknotet ist. Die Rundung wird mit einer Stichsäge ausgesägt. Kleine Unebenheiten glätten Sie mit Schleifpapier oder einem Bandschleifer.
Setzen Sie je eine breitere (50 x 31,3 cm) und eine schmalere (50 x 30 cm) Stuhlseite entlang der hinteren Kante im rechten Winkel zusammen. Die beiden Stuhlseiten werden miteinander verleimt und von außen verschraubt (Schraubenlöcher vorbohren). Hierbei wie auch beim Anbringen der Sitzfläche ist darauf zu achten, daß alle Schraubenköpfe versenkt werden. Sie werden später verspachtelt und geschliffen, so daß sie nicht mehr sichtbar sind.
Die Sitzfläche besteht aus einem Viertelkreis mit einem Durchmesser von 29,5 cm. Sie wird 25 cm über der Unterkante in den rechten Win-

kel der Seitenteile eingeleimt und ebenfalls von außen verschraubt. Zusätzliche Stabilität erhält der Kinderstuhl durch einen gleich großen Viertelkreis, der bündig mit der unteren Kante eingeleimt und verschraubt wird.

Tisch

Nach dem gleichen Schema werden die beiden Stützen für den Tisch hergestellt, nur bleiben hierbei die Seitenteile rechteckig. Die Tischplatte ist 70 x 70 cm groß. Die Ecken der Platte sägen Sie mit einem Radius von etwa 10 cm rund. Die Platte liegt lose auf dem Untergestell auf. Damit sie nicht verrutschen kann, leimen Sie an der Unterseite in der Diagonalen acht Fichtenholzklötzchen so auf, daß die Stützen in ihrer Position gehalten werden.
Alle sichtbaren Schnittkanten der Spanplatten werden im nächsten Arbeitsgang verspachtelt und glattgeschliffen. Danach grundieren Sie die Teile mit Capacryl-Holzgrund. Zum Schluß wird die ganze Sitzgruppe farbig lackiert.
Wenn Ihre Kinder nach einigen Jahren aus der Sitzgruppe „herausgewachsen" sind, lassen sich die Teile, da sie die gleichen Grundmaße haben, senkrecht oder waagerecht zu neuen Regalelementen kombinieren. Auf diese Weise haben Sie doppelten Nutzen aus der Sitzgruppe.

Die Abmessungen der Sitzgruppe sind auf die Körpergröße der Kinder zugeschnitten.

Zum Anzeichnen der Rundungen bei den Stuhlseiten und Sitzflächen können Sie einen Zirkel verwenden.

Unebenheiten der Schnittkanten werden mit einem Bandschleifer geglättet.

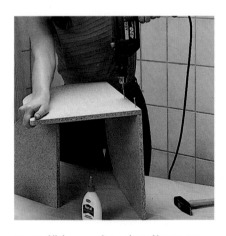

Die Stuhllehnen werden rechtwinklig miteinander verleimt und zusätzlich verschraubt. Schraubenlöcher vorbohren.

Die Sitzfläche und eine Bodenfläche werden in den fertigen Winkel der Stuhlseiten eingeleimt und ebenfalls verschraubt.

Damit die Tischplatte sicher auf dem Untergestell aufliegt und nicht verrutschen kann, werden auf der Unterseite Fichtenholzklötze angeleimt.

Wenn die Sitzgruppe für die heranwachsenden Kinder zu klein geworden ist, können die einzelnen Elemente auch anders genutzt werden.

Aufgrund ihrer Bauweise ergeben sich vielfältige Kombinationsmöglichkeiten. Auf diese Weise erhält man zum Beispiel dieses Eckregal.

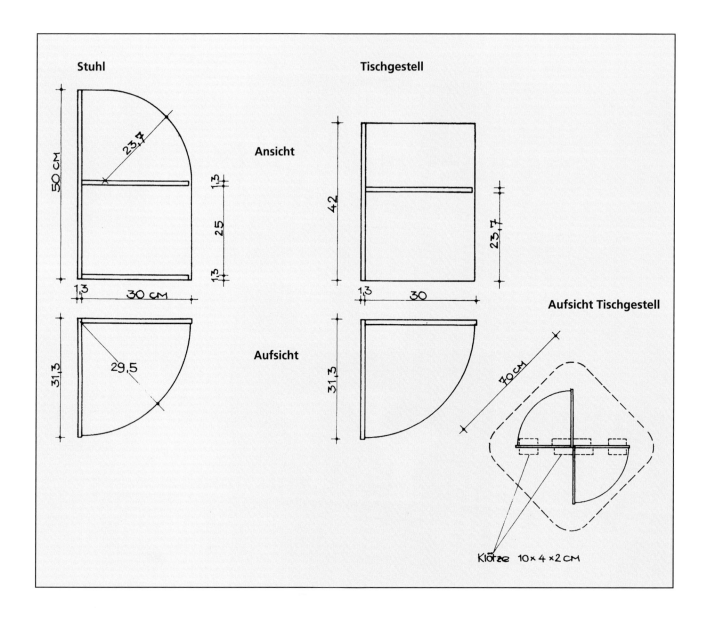

Materialliste

	Anzahl	Bezeichnung	Formate	Materialdicke
Spanplatte	3	Stuhlseiten	50 x 30 cm	13 mm
	3	Stuhlseiten	50 x 31,3 cm	13 mm
	8	Sitzflächen	30 x 30 cm	13 mm
	2	Tischstützen	42 x 30 cm	13 mm
	2	Tischstützen	42 x 31,3 cm	13 mm
	1	Tischplatte	70 x 70 cm	13 mm
weiteres Material	8	Fichtenholzklötze	10 cm lang	20 x 40 mm
		Holzleim Ponal express		
		Holzschrauben		
		Capacryl-Holzgrund, Capacryl-Lack		

Sitzgruppe II

Auch diese Sitzgruppe aus vier Stühlen und einem großen Tisch läßt sich später für andere Zwecke nutzen. Wenn die Kinder für die Sitzgruppe zu groß geworden sind, verwenden Sie die einzelnen Teile beispielsweise als Elemente für ein Wandregal. Oder Sie stellen einen Arbeitsplatz für Schüler daraus her, mit Regalfächern und einer Schreibplatte an der Wand.

Stühle

Mit einem Diagonalschnitt sägen Sie aus einer 81 x 28 cm großen Sperrholzplatte jeweils zwei Stuhlseiten. Dazu können Sie eine Stichsäge oder auch eine Kreissäge verwenden. In die Rückenlehne sägen Sie eine kreisrunde Aussparung mit einer Lochsäge. Damit keine scharfen Kanten zurückbleiben, werden alle Schnittkanten mit Feile und Schleifpapier abgerundet.
Beim Zusammenbau leimen Sie zunächst eine Rückenlehne mit einer Stuhlseite zusammen. In den Winkel leimen Sie die Sitzfläche (26,3 x 28 cm) ein und pressen alle Teile bis zum Abbinden des Leims mit Schraubzwingen zusammen. Anschließend wird die zweite Stuhlseite aufgeleimt und ebenfalls mit Schraubzwingen verpreßt. Zur Verstärkung der Leimverbindungen setzen Sie von außen Holzdübel ein. Verwenden Sie Dübel von 6 mm Durchmesser bei der Verbindung von Seiten- und Rückenteil und Dübel von 8 mm Durchmesser bei der Sitzfläche. Außen überstehende Dübelenden kürzen Sie vorsichtig

Zum Ausschneiden der Grifföffnungen in den Stuhllehnen verwenden Sie eine Lochsäge.

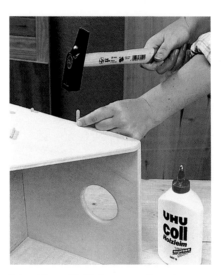

Die geleimten Verbindungen werden mit Holzdübeln verstärkt. Überstehende Enden werden mit einer Feinsäge gekürzt. Anschließend glätten Sie die Flächen mit einem Schwingschleifer.

mit einer Feinsäge und glätten anschließend die Flächen mit einem Schwingschleifer. Die überstehenden Spitzen der Seitenteile kürzen Sie auf die Höhe der Rückenlehne. Schließlich werden alle Kanten mit Feile und Schleifpapier abgerundet und glattgeschliffen.

Tisch

Für die Tischplatte verwenden Sie eine 19 mm dicke, beschichtete Spanplatte. Auf die Kanten werden Umleimer aus Massivholz aufgeleimt. Als Unterbau dienen zwei kreuzförmige Bauelemente unterschiedlicher Höhe. Das höhere kann später zum Wandregal umfunktioniert werden. Für den Unterbau werden jeweils zwei kurze Platten im rechten Winkel auf die Mitte der längeren Platte aufgeleimt. Die Verbindung wird mit verdeckten Dübeln verstärkt. Zum Bohren der Dübellöcher verwenden Sie eine Dübelhilfe. Für die Rechtwinkligkeit des oberen Kreuzes sorgen vier 17 x 17 cm große Platten, die bündig mit der oberen Kante in die Winkel eingeleimt werden. An diesen Einsätzen wird später die Tischplatte festgeschraubt. Beide Teile des Unterbaus werden lose aufeinandergesetzt – das niedrigere kommt nach unten – und mit Holzdübeln ohne Leimzugabe verbunden, damit sie sich später wieder auseinandernehmen lassen. Zum Lackieren verwenden Sie umweltschonende Capacryl-Lacke, die Sie mit einem breiten Pinsel oder einer Rolle auftragen.

Auf die Schnittkanten der weiß beschichteten Tischplatte setzen Sie Massivholz-Umleimer.

Andere Nutzung

Wenn Sie die Sitzgruppe später zu einem Schreibplatz umfunktionieren wollen, sägen Sie von der Tischplatte einen 20 cm breiten Streifen ab. Er dient als Auflage für die Arbeitsplatte an der Zimmerwand. Abgestützt wird die Schreibplatte mit einem Dreieck, das Sie aus einer 35 x 35 cm großen Platte zuschneiden. Das Tischkreuz wird abgeschrägt und mit Schrauben, die durch die Winkelversteifung gedreht werden, an der Wand befestigt. Um die vier Stühlchen zu einem Regal umzubauen, benötigen Sie eine 145 x 28 cm große Platte. Sie wird an den Enden abgeschrägt, und die Stühle mit ihren Unterkanten aufgedübelt. Zum Aufhängen dieses Regals drehen Sie Schrauben durch die Rückwände der Stühle direkt in die Zimmerwand.

Der Unterbau der Tischplatte besteht aus zwei kreuzförmigen Elementen. Im oberen Bauteil werden zur Stabilisierung der rechten Winkel vier quadratische Platten eingeleimt, an denen später die Tischplatte angeschraubt wird.

Die Maße der Sitzgruppe sind auf die Körpergröße der Kinder zugeschnitten. Die Höhe der Stühle und des Tisches ist genau richtig zum Malen, Basteln oder Spielen.

Die Maße der Sitzgruppe sind auf Kinder mit einer Körpergröße von etwa 105 cm zugeschnitten. In DIN/ISO-Normen sind Sitz- und Tischhöhen für unterschiedliche Körpergrößen festgelegt. Eine Auswahl bietet die folgende Tabelle.

Körpergröße	90 cm	105 cm	120 cm	135 cm	150 cm
Sitzhöhe	22 cm	26 cm	30 cm	34 cm	38 cm
Sitztiefe	–	26 cm	29 cm	33 cm	36 cm
Tischhöhe	40 cm	46 cm	52 cm	58 cm	64 cm

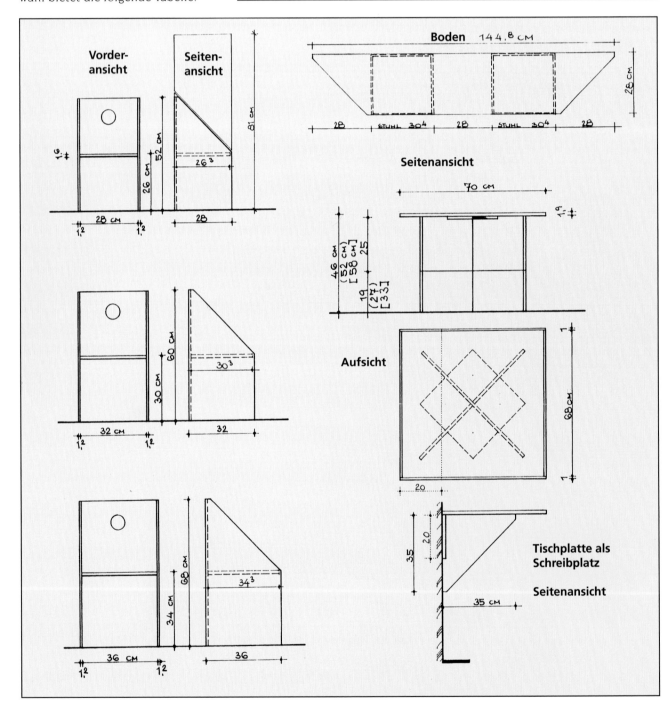

Wenn die Kinder für die Sitzgruppe zu groß geworden sind, können die Stühle mit der Unterkante auf eine Platte gedübelt und verleimt werden.
Zum Aufhängen drehen Sie Schrauben durch die Rückenlehnen direkt in die Wand.

Aus der umfunktionierten Sitzgruppe läßt sich ein Schülerarbeitsplatz herstellen. Die Arbeitsplatte muß zusätzlich durch ein Dreieck an der Wand abgestützt werden.

Materialliste

	Anzahl	Bezeichnung	Formate	Materialdicke
Sperrholz	4	Stuhlseiten (in 2 Seiten teilen)	81 x 28 cm	12 mm
	4	Rückenlehnen	52 x 28 cm	12 mm
MDF-Platten	4	Sitzflächen	26,3 x 28 cm	16 mm
	1	Längsplatte, unteres Tischkreuz	70 x 19 cm	16 mm
	2	Querplatten, unteres Tischkreuz	34,2 x 19 cm	16 mm
	1	Längsplatte, oberes Tischkreuz	70 x 25 cm	16 mm
	2	Querplatten, oberes Tischkreuz	34,2 x 25 cm	16 mm
	4	Winkelversteifungen	17 x 17 cm	16 mm
bei späterer Nutzung der Stühle	1	Mittelseite	145 x 28 cm	16 mm
als Wandregal mit Arbeitsplatz:	1	Stützdreieck für die Schreibplatte	35 x 35 cm	16 mm
Spanplatte, weiß beschichtet	1	Tischplatte	68 x 68 cm	19 mm
weiteres Material	2	Massivholz-Umleimer	68 cm lang	10 x 20 mm
	2	Massivholz-Umleimer	70 cm lang	10 x 20 mm
		Holzdübel, Durchmesser 6 und 8 mm		
		Holzleim		
		Feile, Schleifpapier, Schraubzwingen		
		Stichsäge oder Kreissäge, Akku-Bohrschrauber mit Lochsäge, Schwingschleifer		
		Capacryl-Lack		

Wiege

Auf die Planung und Einrichtung des Kinderzimmers verwenden werdende Eltern viel Zeit und Sorgfalt. Wer eine individuelle Gestaltung bevorzugt, kann beispielsweise diese Wiege selbst bauen. Sie läßt sich in Form und Farbe auf die übrige Einrichtung abstimmen. Der Nachbau der hier vorgestellten Wiege mit ihren klaren Formen erfordert keinen allzu großen Aufwand.

Rahmen

Die Wiege besteht aus zwei Teilen: dem feststehenden Rahmen und dem schwingend aufgehängten Bett. Die Zuschnitte für beide Teile bestehen aus Masterwood-Platten, die sich wie Massivholz bearbeiten las-

sen. Beim Zusammenbau beginnen Sie mit dem Boden des Rahmens. Die beiden Zargen (95,8 x 12 cm) werden mit Holzleim stumpf gegen den Boden geleimt. Bis zum Abbinden des Leims pressen Sie das Ganze mit Schraub- oder Klemmzwingen zusammen.
Zum Sägen der Abschrägungen am Kopf- und am Fußteil verwenden Sie

Leimen Sie als erstes den Zargenboden des Bettrahmens zusammen.

Mit einem Forstnerbohrer werden in den Innenseiten des Kopf- und Fußteils die Aussparungen für die Kugellager hergestellt. Die Lager werden aber erst nach dem Lackieren eingeklebt.

Durch verdeckte Dübel werden die Seiten der Wiege miteinander verbunden. Um die Dübellöcher paßgenau zu bohren, verwenden Sie eine Dübelhilfe.

Senkrechter Schnitt

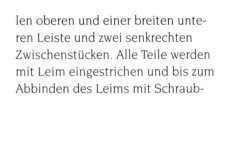

Ansicht Fußteil

eine Stichsäge. Alle Sägeschnitte werden mit einem Doppelhobel und Schleifpapier geglättet. Als Lager für den Alu-Stab, der später den Betthimmel tragen wird, arbeiten Sie an der Spitze des Kopfteils mit einer Rundfeile eine Rundung ein, die etwa 6 mm Durchmesser haben soll. Zum Aufhängen der Wiege werden in die Stirnseiten des Rahmens Kugellager eingesetzt. Zum Ausbohren der Löcher verwenden Sie einen Forstnerbohrer mit 35 mm Durchmesser.

Die Stirnseiten und der Zargenboden werden durch verdeckte Holzdübel miteinander verbunden. Zum Bohren der Dübellöcher verwenden Sie am besten eine Dübelhilfe, z. B. von Lux. Wenige Dübel genügen, um die Paßgenauigkeit beim Zusammensetzen zu gewährleisten. Damit das Kinderbett später wieder auseinandergenommen werden kann, erhält der Rahmen seine Fest-

igkeit durch Holzschrauben, die von außen eingedreht und deren Köpfe später durch farblich passende Kunststoffkappen abgedeckt werden.

Wiege

Zum Zusammenbau des beweglichen Wiegenteils benötigen Sie eine Dübelhilfe. Zuvor stellen Sie die beiden Seitenwände fertig. Sie bestehen jeweils aus einer schma-

len oberen und einer breiten unteren Leiste und zwei senkrechten Zwischenstücken. Alle Teile werden mit Leim eingestrichen und bis zum Abbinden des Leims mit Schraub-

Der Boden der Wiege wird in einen Falz eingeleimt. Der Falz läuft an den Seitenteilen durch, an den Stirnseiten bleiben links und rechts jeweils etwa 10 mm Holz stehen. Diese Ecken des Falzes werden mit einem Beitel versäubert.

Runden Sie alle Kanten der Wiege mit einem Hobel ab.

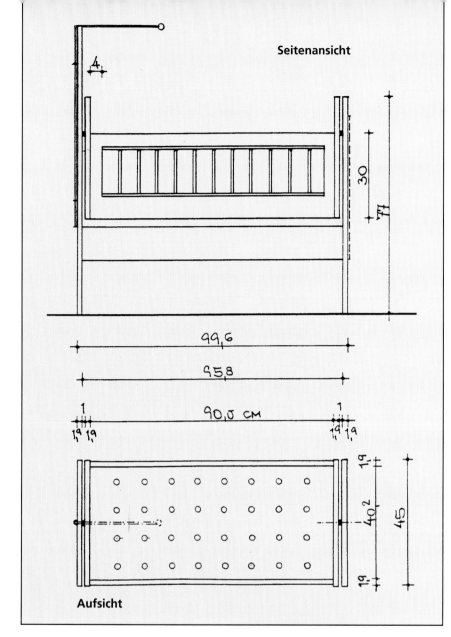

Seitenansicht

4.

30

41

99,6

95,8

90,0 CM

1 19 19

19 19 1

19

40²

45

19

Aufsicht

Nachdem die beiden Stirnseiten oben abgeschrägt sind, bohren Sie in die Außenseiten für die Holzdübel, mit denen die Wiege in die Kugellager eingehängt wird, ein Loch mit 16 mm Durchmesser. Die jeweils 3,5 cm langen Holzdübel werden in diese Bohrungen eingeleimt.

Die Seitenteile werden mit den Stirnseiten durch Dübel verbunden. Alle oberen Kanten des Bettes werden mit einem Hobel gerundet. Setzen Sie das ganze Bett probeweise zusammen, um die Paßgenauigkeit zu kontrollieren und gegebenenfalls nachzuarbeiten.

Zur Vorbereitung der Gitter in den Seitenteilen bohren Sie in die 82 cm langen Massivholzleisten (10 x 25 mm) in gleichmäßigen Abständen 12-mm-Bohrungen für jeweils elf Gitterstäbe auf jeder Seite.

Zum Lackieren des Bettes verwenden Sie wasserhaltigen Capacryl-Lack. Die Stäbe des Gitters werden einzeln vor dem Zusammenbau lackiert.

zwingen zusammengepreßt. Die Stoßfugen glätten Sie mit einem Schwingschleifer. In die Öffnung der Seitenteile werden später Rundstäbe eingesetzt.

Entlang der Unterkanten der Seitenteile und der Stirnseiten der Wiege wird ein Falz eingeschnitten, in den die Bodenplatte eingeleimt wird. Den Falz können Sie mit einer Tischkreissäge herstellen. An den Stirnseiten darf der Falz nicht durchlaufen; es müssen etwa 10 mm Holz am Rand stehenbleiben. Zum Versäubern verwenden Sie einen scharfen Beitel.

Sowohl die Leisten als auch die Stäbe müssen vor der endgültigen Montage lackiert werden. Eingeleimt wird das Gitter erst, nachdem die Seitenwände fertig gestrichen sind.

Lackieren und Zusammenbau

Zum Lackieren nehmen Sie die Wiege wieder auseinander. Verwenden Sie wasserhaltigen Acryl-Lack für die farbliche Gestaltung. Nach dem Trocknen des Lacks werden die Kugellager mit Kraftkleber (z. B. UHU Alleskleber Kraft) in die Stirnseiten des Rahmens geklebt. In den Falz des Wiegenteils leimen Sie den 8 mm dicken Boden (92,4 x 42,6 cm), in den Sie zuvor mit einem Forstnerbohrer 32 Löcher gebohrt haben. Die fertigen Gitterstäbe leimen Sie mit den Querleisten in die Seitenteile der Wiege.

Nachdem der Zargenboden mit dem hohen Kopfteil des Rahmens zusammengesteckt und verschraubt ist, hängen Sie die Wiege ein. Schrauben Sie das niedrigere Fußende gegen den Zargenboden. Alle Schraubenköpfe werden mit farblich passenden Kunststoffkappen abgedeckt. Als Halterung für die Alu-Stange, die den Betthimmel trägt, werden in das hohe Kopfteil zwei Schraubösen eingedreht. Für den Betthimmel nähen Sie einen farblich passenden Stoff zu. Er wird auf die Stange aufgeschoben. Damit er

Aus farblich passendem Stoff nähen Sie einen Betthimmel. Zusätzlich können Sie mit dem gleichen Stoff eine Platte für das Fußteil bespannen und aufkleben.

vorne nicht herausrutschen kann, wird auf den Stab eine farbige, 2 cm dicke Holzkugel gesteckt.

Zur weiteren Dekoration der Wiege können Sie eine 3 mm dicke Hartfaserplatte (33 x 51 cm; Zuschnitt entsprechend der gestrichelten Linie im Konstruktionsplan) faltenfrei mit dem Stoff, aus dem Sie den Betthimmel hergestellt haben, bespannen. Die Platte wird anschließend auf das lackierte Fußteil des Bettrahmens aufgeklebt (z. B. mit UHU Greenit).

Materialliste

	Anzahl	Bezeichnung	Formate	Materialdicke
MDF-Masterwood-Platten		Rahmen		
	1	Kopfteil	104 x 45 cm	19 mm
	1	Fußteil	77 x 45 cm	19 mm
	2	Zargen	95,8 x 12 cm	19 mm
	1	Boden	95,8 x 40,2 cm	19 mm
Wiege	2	Stirnseiten	43 x 45 cm	19 mm
	2	Seitenleisten, unten	90 x 8 cm	19 mm
	2	Seitenleisten, oben	90 x 4 cm	19 mm
	4	Zwischenstücke, senkrecht	18 x 4 cm	19 mm
weiteres Material	4	Leisten für Gitterstäbe	82 cm lang	10 x 25 mm
	22	Rundstäbe	17,9 cm lang	12 mm Durchmesser
	1	Sperrholzboden	92,4 x 42,6 cm	8 mm
	1	Alu-Rundstab	100 cm lang	6 mm Durchmesser
	2	Schraubösen		6 mm Durchmesser
	1	Holzkugel		2 cm Durchmesser
	2	Kugellager, Durchmesser innen 17 mm, außen 35 mm		
	2	Holzdübel als Aufhängung, 3,5 cm lang, 16 mm Durchmesser		
		Holzdübel zum Zusammenbau, 10 mm Durchmesser		
		Holzschrauben, 5 x 70 mm, mit Abdeckkappen		
		UHU coll Holzleim, UHU Alleskleber Kraft, UHU Greenit		
		Stichsäge, Schwingschleifer, Kreissäge, Akku-Bohrschrauber		
		Hobel, Klemm- oder Schraubzwingen, Rundfeile, Dübelhilfe		
		Capacryl-Lack		

Katze mit Kiste

Phantasievolle, in der Form außergewöhnliche Möbel wecken bei Kindern stets ein besonderes Interesse. Diese Katze ist gleichzeitig Sitzmöbel und Spielzeugkiste, denn unter der aufklappbaren Sitzfläche verbirgt sich ein geräumiges Staufach. Beginnen Sie mit dem Staufach, indem Sie das Vorderteil (25 x 28 cm) und eine Seite (29,2 x 28 cm) rechtwinklig mit Holzleim zusammen-

fügen. In diesen Winkel leimen Sie den Boden (25 x 28 cm) bündig mit der Unterkante ein. Spannen Sie das Ganze mit Klemm- oder Schraubzwingen zusammen, bis der Leim abgebunden hat. Bündig mit der hinteren Kante, wo das Staufach später mit der Rückenlehne verleimt werden soll, bringen Sie die schmale Leiste der Sitzfläche (5 x 29 cm) an. An dieser Leiste wird das Klavierband für die Klappe angeschraubt. Übertragen Sie die Vorlagenzeichnung für die Rückenlehne auf die Platte. Zeichnen Sie vorher als Hilfestellung ein 10 x 10 cm großes Raster auf. Zum Ausschneiden

verwenden Sie eine Stichsäge. Anschließend werden alle Sägekanten geglättet und gerundet. Vor dem Lackieren wird probeweise auch die Klappe der Sitzfläche befestigt, um zu prüfen, ob alle Teile zusammenpassen. Lackiert werden alle Flächen mit wasserhaltigem Capacryl-Lack. Für den Farbton der Katze wurden die Farbtöne Lichtgrau und Enzianblau gemischt. Die Stellen, an denen die Kiste angeleimt wird, sollten nicht lackiert werden, damit der Leim besser haftet. Wenn Sie die Rückenlehne jedoch komplett lackieren, müssen Sie zum Verleimen UHU coll spezial

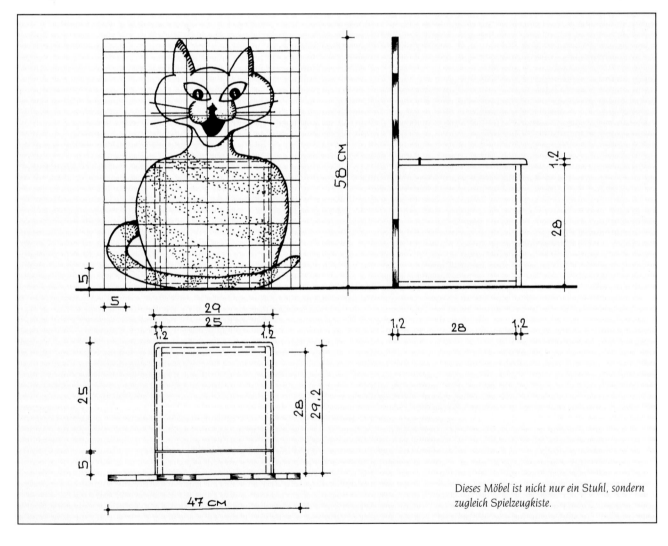

Dieses Möbel ist nicht nur ein Stuhl, sondern zugleich Spielzeugkiste.

Mit Hilfe eines 10 x 10-cm-Rasters werden die Konturen der Katze auf die Platte übertragen.

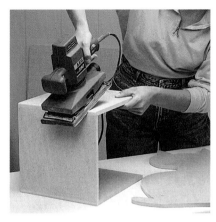

Zum Ausschneiden der Körperformen verwenden Sie eine Stichsäge.

Alle Ecken, Kanten und Leimstellen werden mit einem Schwingschleifer abgerundet und geglättet.

verwenden, denn dieser verbindet Holz auch mit Lackflächen.

Mit etwas abgedunkeltem Graublau werden die Konturen der Katze plastisch hervorgehoben. Dieser Farbton kann mit einem harten Rundpinsel aufgetupft werden, so daß sich eine Fellstruktur ergibt.

Der Staukasten ist in leuchtendem Gelb und Rot lackiert. Wenn der Lack trocken ist, wird die Lehne angeleimt. Zum Schluß bringen Sie die Klappe der Sitzfläche mit dem Klavierband an. Die Katze erhält Schnurrhaare aus dünnen Dübelstangen, die aufgeleimt werden.

Das Staufach bietet viel Platz für Puppen, Bausteine und andere Spielsachen.

Materialliste

	Anzahl	Bezeichnung	Formate	Materialdicke
MDF-Masterwood-Platten	1	Boden	25 x 28 cm	12 mm
	1	Stirnseite	25 x 28 cm	12 mm
	2	Seitenteile	29,2 x 28 cm	12 mm
	1	Klappe	29 x 25 cm	12 mm
	1	Leiste	29 x 5 cm	12 mm
	1	Rückenlehne	58 x 47 cm	12 mm
weiteres Material	1	Klavierband, 28 cm lang		
		Holzleim UHU coll (oder UHU coll spezial)		
		Schwingschleifer, Stichsäge, Akku-Bohrschrauber		
		Capacryl-Lack		

Rollkiste mit Regal

Auch in diesem Möbel können Ihre Kinder allerlei Spielsachen unterbringen. Die Rückseite der Kiste besteht aus einem Regal mit vier losen Holzkästen. Da die Kiste leicht beweglich ist, kann Ihr Kind sie wie einen „Werkstattwagen" überallhin mitnehmen, wo es sie braucht.

Kiste

Den Zusammenbau beginnen Sie mit der Kiste. Ein Seitenteil (29 x 27 cm) wird im rechten Winkel mit der Frontseite (35 x 27 cm) verleimt. In den Winkel wird bündig mit den

Außer mit Holzleim werden die Verbindungen noch durch Schrauben oder Stifte gesichert.

Unterkanten der Kastenboden (29 x 32,6 cm) eingeleimt. Anschließend setzen Sie die zweite Seitenwand an und ziehen das Ganze mit Schraubzwingen bis zum Abbinden des Leims zusammen.

Regal

Das Regal besteht aus zwei Seitenwänden und vier Regalböden. Bei den 60 cm hohen Seitenwänden werden die oberen Ecken mit einer Stichsäge abgerundet. Die Sägekanten werden mit Feile und Schleifpapier geglättet. Beim Zusammenbau setzen Sie den untersten Regalboden 2 cm über der Unterkante des Seitenteils an. Mit jeweils 18 cm Abstand werden der zweite und dritte Boden, mit 14 cm Abstand wird

der vierte Boden eingeleimt. Die Seitenwand ragt 3,2 cm über den obersten Boden hinaus. Zusätzlich zu der Leimverbindung drehen Sie durch die Außenseiten in die Regalböden Holzschrauben ein. Die Schraubenköpfe werden versenkt, verspachtelt und geschliffen, so daß sie nach dem Lackieren nicht mehr sichtbar sind.

Die Regalrückwand wird zunächst an die Kiste geleimt und zusätzlich verschraubt.

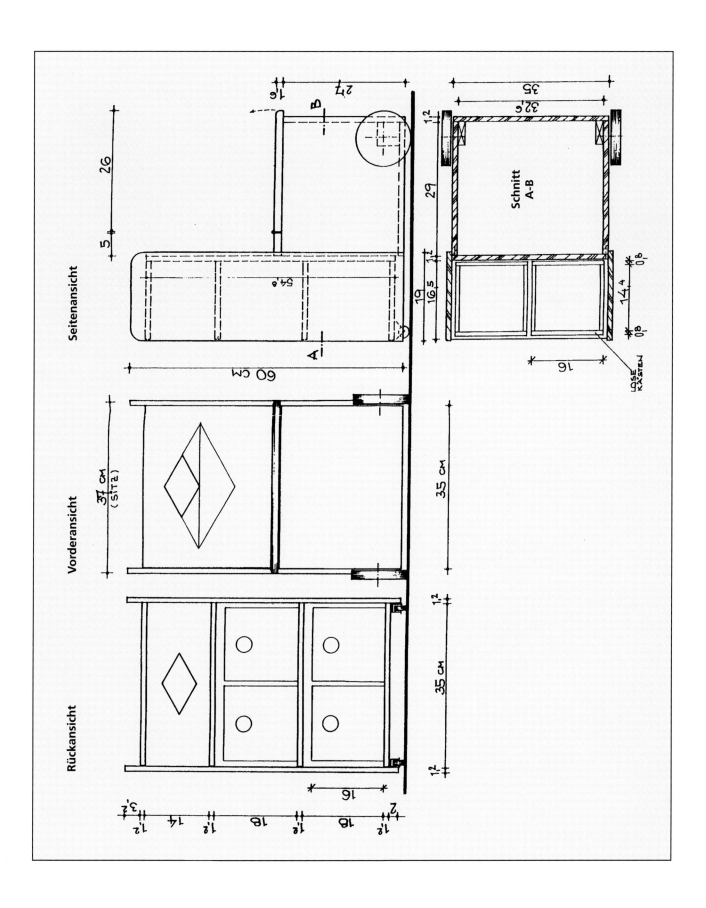

Rückansicht

Vorderansicht

Seitenansicht

Schnitt A-B

LOSE KÄSTEN

Kiste und Regal werden durch die gemeinsame Rückwand miteinander verbunden. Beide Teile mit Klemm- oder Schraubzwingen zusammenpressen, bis der Leim abgebunden hat. Zusätzlich können in die Regalböden durch das Innere der Kiste Holzschrauben eingedreht werden, um die Verbindung zu verstärken.

wand wird zunächst mit der Kiste verleimt und mit Holzschrauben fixiert, bevor dieser Teil des Möbels mit dem Regal zusammengeleimt wird. Spannen Sie die Teile mit Schraubzwingen zusammen, bis der Leim abgebunden hat. Zusätzlich können Sie von innen durch die Kiste Holzschrauben in die Regalböden eindrehen.

Die vier losen Kästen erhalten in der Vorderseite jeweils einen runden Ausschnitt. Zum Ausbohren verwenden Sie einen Forstnerbohrer.

Klappe

Die Kiste erhält als Abdeckung und zugleich als Sitzfläche eine Klappe (37 x 26 cm), die mit Klavierband an eine schmale Leiste (37 x 5 cm) angeschlagen wird. Die Leiste leimen Sie gegen die Rückwand auf die Kiste. Zuvor schneiden Sie für die überstehenden Seitenwände des Regals entsprechende Aussparungen aus. Mit der Oberfräse und einem Viertelstabfräser werden die oberen Kanten der Leiste und die oberen und unteren Kanten der Klappe abgerundet.

Räder

Für die großen Räder, die an der Kiste angebracht werden sollen, leimen Sie zur Verstärkung zwei 5 x 5 cm große Quadrate innen in die vorderen Ecken der Kiste. In die Ecken bohren Sie Löcher von 5 mm Durchmesser, links und rechts in der gleichen Position. In diese Bohrungen werden mit Unterlegscheiben

Rückwand

Die Rückwand des Regals (54,8 x 35 cm) ist gleichzeitig die Rückenlehne für die Sitzkiste. Als Griff bringen Sie in der Rückwand ein rautenförmiges Griffloch an. Zum Ausschneiden verwenden Sie eine Stichsäge. Um das Sägeblatt einzuführen, bohren Sie ein entsprechend großes Loch vor. Die Rück-

Farbenfroh und vielseitig ist diese rollende Spielzeugkiste mit Regal. Das Möbel bietet viel Platz für Spielsachen, Bausteine, Stofftiere und ähnliches ...

... und ist zugleich eine weitere Sitzgelegenheit im Kinderzimmer.

die Achsen der Räder (Schlüsselschrauben) eingedreht. Vor dem Lackieren entfernen Sie die Räder wieder, ebenso das Klavierband am Deckel.

Schubkästen

Für das Regal fehlen nun noch die vier losen Schubkästen. Ihre Frontplatten erhalten jeweils einen kreisrunden Ausschnitt, damit sich die Kästen bequem herausziehen lassen. Zum Bohren verwenden Sie einen Forstnerbohrer von 35 mm

Durchmesser. Die Front und die Rückwand (jeweils 16 x 16 cm) werden mit den Seitenwänden (16 x 14,4 cm) um den quadratischen Boden (14,4 x 14,4 cm) geleimt. Alle Leimfugen werden mit 30 mm langen Stiften verstärkt. Glätten Sie alle Kanten und Leimstellen mit einem Schwingschleifer vor dem Lackieren.

Lackieren und Zusammenbau

Für den Anstrich des Möbels wurde umweltschonender Capamix-Seidenglanzlack verwendet. Er ist in sehr vielen Farbtönen zu haben, so daß die Farbauswahl nach Ihrem

persönlichen Geschmack erfolgen kann. Zum Auftrage der Farbe eignen sich Rollen oder langborstige Pinsel. Nach dem Trocknen des Lacks werden zwei feststehende Möbelrollen (etwa 30 mm hoch) mit Kraftkleber unter das Regal geklebt und zusätzlich verschraubt. Bringen Sie nun die großen Holzräder mit Gummibereifung an und schrauben Sie die Klappe mit dem Klavierband fest.

Materialliste

	Anzahl	Bezeichnung	Formate	Materialdicke
MDF-Masterwood-Platten	2	Kistenseiten	29 x 27 cm	12 mm
	1	Kistenfront	35 x 27 cm	12 mm
	1	Kistenboden	29 x 32,6 cm	12 mm
	1	Klappe	37 x 26 cm	16 mm
	1	Leiste	37 x 5 cm	16 mm
	2	Eckverstärkungen	5 x 5 cm	13 mm
	2	Regalseiten	60 x 19 cm	12 mm
	4	Regalböden	35 x 16,5 cm	12 mm
	1	Regalrückwand	54,8 x 35 cm	12 mm
	8	Kastenfronten und Rückseiten	16 x 16 cm	8 mm
	8	Kastenseiten	16 x 14,4 cm	8 mm
	4	Kastenböden	14,4 x 14,4 cm	8 mm
weiteres Material	2	Räder, gummibereift, 12 cm Durchmesser		
	2	Möbelrollen, 30 mm hoch		
	1	Klavierband, 34 cm lang		
	2	Schlüsselschrauben mit Unterlegscheiben, 8 x 50 mm		
		Spanplattenschrauben, 3,5 x 35 mm		
		Stifte, 30 mm lang		
		Holzleim UHU coll express		
		Schraubzwingen, Feile, Stichsäge, Akku-Bohrschrauber, Oberfräse, Schwingschleifer		
		Forstnerbohrer, Durchmesser 35 mm		
		Capamix-Acryl-Seidenglanzlack		

Regal mit Klapptisch

Die große Schreibplatte ist ideal als Schülerarbeitsplatz zur Erledigung der Hausaufgaben, zum Spielen oder Malen. Da die Platte platzsparend heruntergeklappt werden kann, ist dieses Möbel auch für kleine Kinderzimmer geeignet. Ein weiterer Vorteil: Kinder können diesen Schreibtisch viele Jahre benutzen, weil er ohne Fußstützen an der Wand befestigt ist und deshalb mit den Kindern „mitwachsen", d. h. höher aufgehängt werden kann. Regalböden bieten zusätzliche Abstellfläche für Hefte, Stifte und Bücher.

Unterbau

Beim Zusammenbau beginnen Sie mit dem Unterbau. Die beiden Seitenteile (53 x 19,2 cm) werden von außen gegen den oberen und unteren Boden geleimt, bündig mit den Vorderkanten. Zwischen die hinten überstehenden Seitenteile wird später die Rückwand geleimt. Die Leimverbindungen werden zusätzlich mit Holzschrauben verstärkt (Schraubenköpfe versenken, spachteln und schleifen). Zur Verstärkung des oberen Bodens leimen Sie eine Leiste (4 x 116 cm) unter die Vorderkante. Hier wird das Klavierband für die Schreibplatte angeschlagen.

Schreibplatte und Rückwand

Auf die Kanten der Schreibplatte werden Umleimer aufgeleimt, z. B. mit UHU coll spezial. Die Rückwand (116 x 111 cm) wird oben halbkreisförmig mit einer Stichsäge zugeschnitten. Als Viertelkreise werden die seitlichen schwenkbaren Stützen (46 x 46 cm) für die Schreibplatte gesägt. Auch die seitlichen Blenden der oberen Regalböden sind Viertelkreise aus 10 x 10 cm großen Quadraten. Alle Sägekanten runden Sie mit einem Schwingschleifer und Schleifpapier ab.

Leimen Sie die Rückwand zwischen die Seitenteile des Unterbaus (Leimverbindungen ebenfalls mit Holzschrauben verstärken). Die senkrechte (49,2 x 14 cm) und waagerechte (72 x 14 cm) Fachunterteilung des Unterbaus werden eingeleimt und verschraubt. An die Regalböden des Oberteils (30 x 10 cm) leimen Sie die seitlichen Blenden an.

Lackieren und Zusammenbau

Um zu überprüfen, ob alle Einzelteile zusammenpassen, bauen Sie das Möbel probeweise zusammen. Bringen Sie die klappbaren Stützen an den Seitenteilen des Unterbaus mit Klavierbändern an, ebenso die Schreibplatte. Das Eindrehen der vielen Schrauben erleichtern Sie

Die Platte läßt sich bequem herunterklappen, so daß dieser Arbeitsplatz auch in kleinen Zimmern untergebracht werden kann.

Das Oberteil der Rückwand wird mit einer Stichsäge halbkreisförmig zugeschnitten. Anschließend wird die Schnittkante mit einer Oberfräse (Viertelstabfräser) abgerundet.

Nach dem Zusammenbau des Kastens wird die Rückwand eingeleimt. Sie schließt mit der rückwärtigen Kante der Seitenteile bündig ab.

An den Stellen, wo die Regalböden am Oberteil angeleimt werden, soll zuvor kein Lack aufgetragen werden. Kleben Sie daher vor dem Lackieren die Flächen mit schmalem Klebeband ab.

Die Löcher für die Schrauben, mit denen das Klavierband an der Platte befestigt wird, bohren Sie mit einem dünnen Bohrer vor. Zum Eindrehen der vielen Schrauben verwenden Sie einen Bohrschrauber.

sich, wenn Sie einen Akku-Bohrschrauber verwenden. Zum Lackieren nehmen Sie die Teile wieder auseinander. Die Leimstellen für die oberen Regalböden werden vor dem Lackieren abgeklebt. Wenn die Klavierbänder nicht komplett demontiert werden, müssen auch sie abgeklebt werden. Zum Lackieren wurde Capamix-Acryl-Seidenglanzlack verwendet. Auf den Werkstoffplatten wurde er ohne vorherigen Grundanstrich zweimal aufgetragen. Nach dem Trocknen des Lacks entfernen Sie die Abklebungen, um die oberen Regalböden aufzuleimen. Mit Schrauben und Dübeln wird das Möbel direkt an der Wand befestigt.

Der an der Wand aufgehängte Schreibtisch hat eine große Arbeitsfläche und bietet viel Stauraum für Schulhefte, Bücher, Stifte und viele andere Dinge.

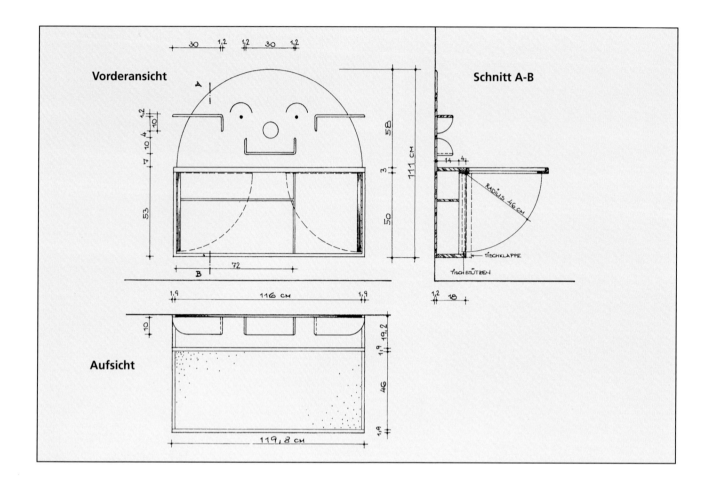

Materialliste

	Anzahl	Bezeichnung	Formate	Materialdicke
MDF-Masterwood-Platten	2	Seitenteile, Unterbau	53 x 19,2 cm	19 mm
	2	Querböden, Unterbau	116 x 18 cm	19 mm
	2	Klappstützen, seitlich	46 x 46 cm	19 mm
	2	Umleimer für Schreibplatte	119,8 x 3 cm	19 mm
	2	Umleimer für Schreibplatte	46 x 3 cm	19 mm
	1	Rückwand	116 x 111 cm	12 mm
	1	Verstärkungsleiste, Unterbau	116 x 4 cm	12 mm
	1	Einlegeboden, Unterbau	72 x 14 cm	12 mm
	1	senkrechte Unterteilung, Unterbau	49,2 x 14 cm	12 mm
	3	Regalböden	30 x 10 cm	12 mm
	6	Blenden für Regalböden	10 x 10 cm	12 mm
Hornitex-MB-Spanplatte	1	Tischplatte	116 x 46 cm	19 mm
weiteres Material	1	Klavierband, 116 cm lang		
	2	Klavierbänder, 46 cm lang		
		Holzschrauben		
		Schrauben und Dübel zur Wandbefestigung		
		Holzleim UHU coll express und UHU coll spezial		
		Stichsäge, Oberfräse, Akku-Bohrschrauber, Schwingschleifer		
		Capamix-Acryl-Seidenglanzlack		

Garderoben-clown

Die Herstellung dieser attraktiven Garderobe dürfte Ihnen kaum Schwierigkeiten bereiten. Sie bietet viel Platz für Jacken, Turnbeutel, Hausschuhe und vieles andere. Hergestellt wird der Clown aus einer beschichteten Platte. Zum Übertragen der Konturen arbeiten Sie mit einem 10 x 10-cm-Raster (siehe Konstruktionszeichnung). Die rechte und linke Seite des Clowns müssen nicht symmetrisch gestaltet sein. Leichte Unterschiede machen die Figur interessanter.

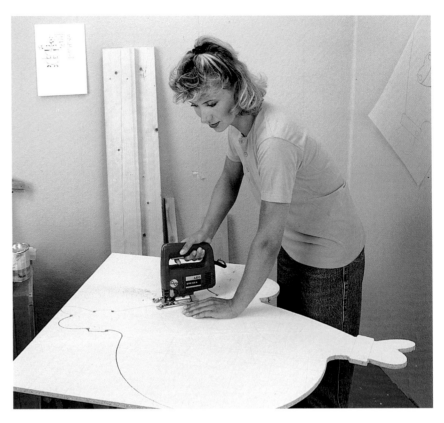

Figur

Zum Aussägen verwenden Sie eine Stichsäge. An schwierigen Stellen, z. B. in dem Winkel zwischen Daumen und Hand, bohren Sie ein Loch von 10 mm Durchmesser, um das Aussägen zu erleichtern. Auch für den Anlaufring der Oberfräse, mit der später die Kanten abgerundet werden, sind diese Bohrungen hilfreich.

Aus dem Verschnitt, der beim Aussägen der Figur anfällt, werden die Beine und die Teile für die Füße gesägt. An die Beine (28 x 16 cm) werden außen die Seitenteile der Füße (18 x 6 cm) angeleimt. Sie stehen nach unten 13 mm über. Zwischen die Seitenteile wird die Bodenplatte geleimt (16,7 x 16 cm). Auch die Sägekanten dieser Teile werden mit der Oberfräse abgerundet.

Die Konturen des Clowns werden mit einer Stichsäge ausgesägt. Bohrungen von 10 mm Durchmesser erleichtern das Drehen des Sägeblattes an kritischen Stellen.

Die Sägekanten werden mit der Oberfräse (Viertelstabfräser) abgerundet.

Zum Verleimen verwenden Sie UHU coll spezial. Nach dem Zusammenbau der Füße werden die Beine von hinten mit Kraftkleber an den Körper des Clowns geklebt. Kleber beidseitig auftragen, zehn Minuten ablüften lassen und Teile zusammenpressen. Zusätzlich zu der Klebeverbindung drehen Sie Holzschrauben ein, um der Konstruktion mehr Stabilität zu verleihen.

Aufhängung

Zum Aufhängen des Clowns sägen Sie eine 50 cm lange Fichtenholzleiste (80 x 40 mm) in Längsrichtung durch, wobei Sie den Sägetisch Ihrer Säge leicht schräg stellen. Eine Hälfte der Leiste wird an der Zimmerwand festgedübelt, die andere auf die Rückseite des Clowns

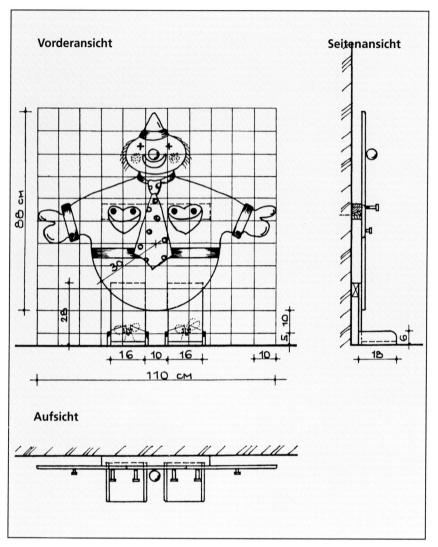

geschraubt. Beim Aufhängen sollen die abgeschrägten Flächen der Leisten hakenförmig ineinander greifen. Diese Art der Aufhängung ist sehr stabil und verhindert ein Verrutschen der Garderobe. Hinter die Beine des Clowns leimen Sie zwei Abstandsklötzchen (6 x 6 cm) aus einem 27 mm dicken Fichtenholzrest, damit auch der untere Teil der Garderobe fest an der Wand anliegt. Der Abstand von der Wand ist bewußt so groß gewählt worden, damit auch über die Arme und Hände des Clowns Kleidungsstücke gehängt werden können.

Fertigstellung

Die großen Kleiderknöpfe (2 cm Durchmesser, 5 cm lang) werden in Höhe der Brusttaschen eingesetzt und mit der Leiste auf der Rückseite verschraubt. An den Ärmeln sind zwei weitere Knöpfe angebracht (2 cm Durchmesser, 2 cm lang). Vor

Der lustige Garderobenclown bietet viel Platz für Jacken, Turnbeutel und anderes. Auf den stabilen Füßen können sogar Schulranzen abgestellt werden.

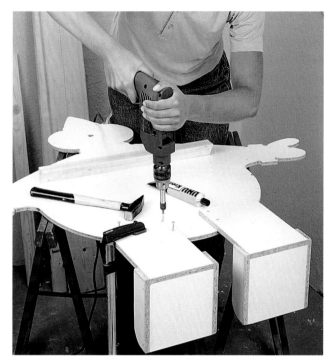

Um die Oberflächen des Clownkörpers und der Beine dauerhaft miteinander zu verbinden, verwenden Sie einen Kraftkleber (z. B. UHU Alleskleber Kraft). Zusätzlich können Sie die Verbindung durch Holzschrauben stärken.

dem Lackieren werden die Sägekanten der Spanplatten gespachtelt und geschliffen. Diese Kanten und die Knöpfe streichen Sie mit Capacryl-Holzgrund vor. Anschließend gestalten Sie die Figur so bunt, wie es sich für einen Clown gehört. Nach dem Trocknen des Lacks kleben Sie an den Seiten des

Die gespachtelten und geschliffenen Sägekanten müssen vor dem Lackieren mit Capacryl-Holzgrund vorgestrichen werden, ebenso die Garderobenknöpfe.

Kopfes Haare an, die Sie aus Garn herstellen und mit umweltschonendem Sprühlack leuchtend rot lackieren.

Materialliste

	Anzahl	Bezeichnung	Formate	Materialdicke
folienbeschichtete Spanodur-Platte von Hornitex	1	Platte für den Körper	110 x 88 cm	13 mm
aus dem Verschnitt:	2	Beine	28 x 16 cm	13 mm
	4	Seitenteile für die Füße	18 x 6 cm	13 mm
	2	Bodenplatten für die Füße	16,7 x 16 cm	13 mm
weiteres Material	1	Fichtenholzleiste	50 cm lang	80 x 40 mm
	2	Abstandsklötzchen, Fichte	6 x 6 cm	27 mm
	1	Holzkugel für die Nase	5 cm Durchmesser	
	4	Garderobenknöpfe	5 cm lang, 2 cm Durchmesser	
	2	Garderobenknöpfe	2 cm lang, 2 cm Durchmesser	
		Holzleim UHU coll spezial, UHU Alleskleber Kraft		
		Stichsäge, Oberfräse, Akku-Bohrschrauber		
		Capacryl-Holzgrund, Capacryl-Lack		

Wolkengarderobe

Diese Garderobe mit Sonne und weißen Wölkchen läßt sich besonders einfach herstellen. Die Grundform besteht aus einer 80 x 45 cm großen Spanplatte, auf die zunächst ein 10 x 10-cm-Raster aufgezeichnet wird. Übertragen Sie dann die Konturen nach der Zeichnung der Vorlage. Die Garderobe wird mit einer Stichsäge ausgesägt.

Die Schnittkanten werden nicht abgerundet, sondern gespachtelt und glattgeschliffen. Für die Holzdübel von 12 mm Durchmesser, die als Kleiderhaken dienen, führen Sie die Bohrungen leicht schräg aus, damit die Haken etwas nach oben stehen. Bohrungen für alle Dübel im gleichen Winkel ausführen! Die Holzdübel werden eingeleimt.

Die blaue Grundfarbe wurde aus den Capacryl-Farbtönen Lichtgrau und Enzianblau im Verhältnis 1:1 gemischt. Tragen Sie die Farbe mit einem breiten Kunststoffpinsel zweimal auf. Anschließend malen Sie die Wolken und die Sonne auf. Mit einem feinen Pinsel ziehen Sie die Konturen der Sonne nach und malen das Gesicht auf.

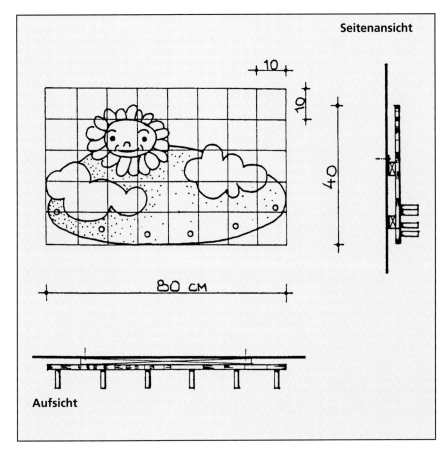

Als Aufhängung leimen Sie auf die Rückseite zwei 57 cm lange gehobelte Dachlatten (18 x 28 mm) auf. An der oberen Leiste schrauben Sie zwei Ösen an, mit denen die Garderobe an der Zimmerwand aufgehängt wird.

Materialliste

	Anzahl	Bezeichnung	Formate	Materialdicke
Spanodurplatte von Hornitex	1	80 x 45 cm	13 mm	
weiteres Material	2	gehobelte Dachlatten	57 cm lang	18 x 38 mm
	6	Holzdübel, 7 cm lang, 12 mm Durchmesser		
	2	Schraubösen		
		Holzleim UHU coll express		
		Stichsäge, Bohrmaschine, Schwingschleifer		
		Capacryl-Lack		

Für die sechs Holzdübel, die als Kleiderhaken eingesetzt werden, bringen Sie entsprechend große Bohrungen an. Bohrmaschine leicht schräg halten, damit die Kleiderhaken etwas nach oben stehen. Die Holzdübel werden in die Bohrungen eingeleimt.

Die Grundfarbe der Garderobe wird aus den Capacryl-Farbtönen Enzianblau und Lichtgrau im Verhältnis 1:1 gemischt.

Die Wolkengarderobe wird in kindgerechter Höhe entweder im Kinderzimmer oder neben der Erwachsenengarderobe aufgehängt.

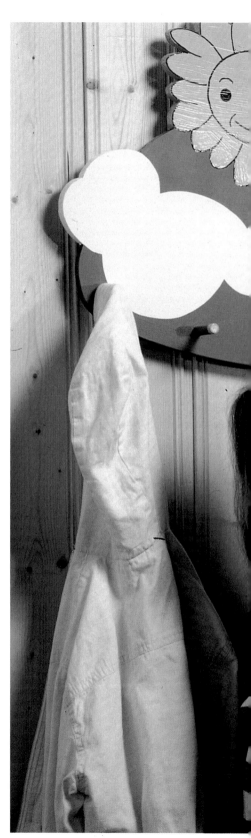

Die Deutsche Bibliothek –
CIP-Einheitsaufnahme

Bunte Kindermöbel schnell gebaut:
Ideen, Pläne, Schritt-für-Schritt-Anlei-
tungen/Michael Wölfel. [Fotogr.: Tom
Pochert]. – Augsburg: Augustus Verl., 1996
   ISBN 3-8043-0387-0
NE: Wölfel, Michael; Pochert, Thomas

Jede gewerbliche Nutzung der Arbeiten und
Entwürfe ist nur mit Genehmigung von Verfasser und Verlag gestattet.

Bei der Anwendung im Unterricht und in
Kursen ist auf dieses Buch hinzuweisen.

Verfasser und Verlag danken den Firmen
Bosch, Caparol, Lux und Uhu für die
freundliche Unterstützung bei der
Entstehung dieses Buches.

Fotografie: Thomas Pochert, Bergisch-
Gladbach
Zeichnungen: Michael Wölfel, Pfungstadt
Lektorat: Günter Wiegand, Wiesbaden
Umschlaggestaltung: Christa Manner,
München

Layout: Anton Walter, Gundelfingen

Augustus Verlag Augsburg 1996
© Weltbild Verlag GmbH, Augsburg

Satz: Gesetzt aus 10 Punkt Novarese Book
in Quark-X-Press von Walter Werbegrafik,
Gundelfingen
Reproduktion: Color Line, I-Verona
Druck und Bindung: Appl, Wemding

Gedruckt auf 120 g umweltfreundlich elemen-
tar chlorfrei gebleichtes Papier.

ISBN 3-8043-0387-0
Printed in Germany